C'est moi  qui lis

L'ours et le pêcheur

L'histoire de deux grognons
à la pêche au saumon
écrite par Wolfram Hänel

et illustrée par Jean-Pierre Corderoc'h
Traduction de Agnès Inhauser

Éditions Nord-Sud

Quelque part dans le Nord, tout près
de l'Alaska, coule un grand fleuve.
Au printemps, les saumons viennent
de la mer et remontent le fleuve
pour la ponte. Il y a alors tant de poissons
que l'eau en paraît tout argentée.

5

C'est l'époque de l'année où Old
Mahony vient pêcher.
Old Mahony est un petit homme
à la barbe blanche, et il adore la pêche
et le saumon grillé.
Le voici justement qui longe le sentier
près du fleuve.

Il arrive à l'endroit où le fleuve fait
un coude et où se trouve sa petite
cabane. Old Mahony ouvre fenêtres
et volets, récure les casseroles rouillées
et balaie énergiquement les araignées
et autres insectes vers la porte.
Puis il époussette sa canne à pêche,
met ses bottes en caoutchouc
et se dirige vers le fleuve.

De l'autre côté du fleuve habite Big Boy
Willy, un énorme ours brun. Dressé
sur ses pattes de derrière, il mesure
au moins deux mètres! Lui aussi,
le printemps venu, se dirige
vers le fleuve pour faire un festin
de saumons.
Sa place préférée pour pêcher, ce sont
les grands cailloux plats au milieu
du fleuve.

Les voici donc côte à côte, le petit
homme avec sa canne à pêche et l'énorme
ours aux pattes larges comme
des assiettes à soupe.

12

Tout d'abord ils font mine de ne pas
se voir. Chacun de son côté pêche
à sa façon, sans se préoccuper
de l'autre.

Mais Old Mahony en a bientôt assez:
cet ours mal léché le dérange
dans son activité préférée!
Il se retourne brusquement
et fait «BOUH!!» Big Boy Willy
s'arrête de pêcher, surpris.

Puis il ouvre toute grande sa gueule
et montre les dents en grognant.
C'est son domaine, ici! Et il se remet
à pêcher.
Mais juste au moment où Old Mahony
s'apprête à refaire «BOUH!!»
son flotteur se met à danser dans l'eau.

Un saumon, enfin! Old Mahony est
content. Il en oublie l'ours et retourne
sur la berge pour faire un petit feu.
Il embroche le poisson sur une branche
pointue et le grille à point. Délicieux!
Puis, rassasié et satisfait, il termine
sa journée assis au bord du fleuve.

En face, sur l'autre rive,
Big Boy Willy est,
lui aussi, repu et satisfait.

Il retourne dans sa forêt,
un dernier saumon
entre les dents.

Les journées s'écoulent ainsi. Le vieil homme et l'ours pêchent dos à dos. De temps en temps Old Mahony se retourne et fait «BOUH!!» et Big Boy Willy grogne en montrant les dents.

Puis ils continuent de pêcher, chacun à sa manière. Et comme les saumons abondent, cette histoire pourrait s'arrêter là...

Mais un matin Old Mahony voit l'ours
installé en aval du fleuve, pêchant
presque tous les saumons qui passent.
Le vieil homme est furieux. De plus,
l'eau est trop profonde pour lui
à l'endroit où se tient l'ours.

«Là, mon gros,
tu exagères!»
grommelle-t-il.

Pour la première fois, Old Mahony
rentre bredouille. C'est de très mauvaise
humeur qu'il ouvre une boîte de haricots
blancs pour son souper.

Pendant ce temps, l'ours se dirige
vers sa forêt, le ventre plein.
Old Mahony n'est pas content, mais
alors pas content du tout!

Il a alors une idée.
Le lendemain matin, il sort de sa remise
un vieux filet de pêche.
Puis il s'assied au soleil
pour le repriser.

Big Boy Willy se tient sur ses rochers plats et le regarde faire d'un œil soupçonneux. Puis il se remet à pêcher. Il avale un saumon après l'autre et rote ensuite si fort qu'Old Mahony manque de se piquer le doigt.

Le soir venu Old Mahony ouvre
sa deuxième boîte de haricots blancs,
mais de très bonne humeur,
cette fois-ci.
Puis il va se coucher.

Le lendemain, dès l'aube,
il descend le chemin qui longe la rive,
jusqu'à l'endroit du fleuve
où les rochers se touchent presque.

Là, il tend son filet d'un rocher à l'autre,
de telle sorte que les saumons ne puissent
plus passer. Et maintenant, bonne pêche,
l'ours! pense-t-il.
Big Boy Willy est déjà à l'affût
sur ses cailloux plats.

«BOUH!!» fait joyeusement le petit
homme en passant. L'ours est tellement
étonné qu'il en oublie de montrer
les dents. «Ce soir, tu peux manger
des haricots blancs, si tu veux!» lui lance
Old Mahony en éclatant de rire.
Big Boy Willy n'aime pas
qu'on se moque de lui, et encore
moins quand il a l'estomac
dans les talons!

Il se dresse sur ses pattes, menaçant.
Mais soudain il glisse sur les rochers
mouillés et tombe dans les eaux
tourbillonnantes.
Old Mahony ne rit plus, à présent!

Le vieil homme n'a même pas le temps
de réagir que déjà l'ours l'entraîne
avec lui dans les eaux tumultueuses.
Une grosse boule d'où sortent des bras,

des grosses pattes et des bottes se dirige
à toute allure vers le filet tendu par Old
Mahony! Le filet se rompt
et des centaines de saumons
filent, effrayés.

Le courant entraîne l'homme et l'ours
plus loin encore, jusqu'à ce
qu'ils échouent, trempés
et crachant des litres d'eau,
sur une petite île au milieu du fleuve.

Soudain Big Boy Willy lève son museau
et renifle bruyamment.
Mhmmm… ça sent bon ici! Old Mahony
aussi sent quelque chose.
Qu'est-ce que cela peut bien être?
Les deux pêcheurs détrempés
se regardent.
Mais oui… c'est cela… du miel!
Là, devant eux, dans l'arbre creux,
il doit y avoir une ruche!

Big Boy Willy plonge une patte
dans le trou et la retire pleine d'un miel
parfumé et doré qu'il lèche avec délices.

À cet instant précis arrivent les abeilles.
D'abord une, puis deux, puis
tout un essaim. Et elles sont furieuses!

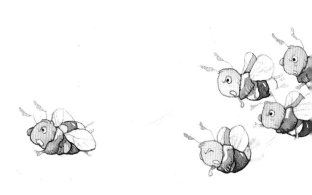

Elles piquent le voleur dans les oreilles
et sur le nez, et le pauvre Big Boy Willy
fait des bonds désordonnés en hurlant
de douleur.

«Cours! lui crie Old Mahony. Cours
le plus vite possible et plonge dans l'eau!»
Big Boy Willy court aussi vite
qu'il le peut, poursuivi par l'essaim
en colère, et fait un superbe plongeon
dans le fleuve. Et ça marche! Les abeilles
font demi-tour et disparaissent.

Big Boy Willy refait surface, essoufflé
mais soulagé. Il sourit à Old Mahony
et le vieil homme lui sourit en retour.
Puis Big Boy Willy retourne vers l'arbre
à miel. Il replonge sa grosse patte
dans le trou et la tend à Old Mahony,
qui se régale à grands coups de langue.
«Et si nous pêchions ensemble,
toi et moi?» propose Old Mahony.
Aussitôt dit, aussitôt fait.

Le soir venu ils font un feu
et élaborent le menu des jours
suivants:

Du saumon grillé au petit déjeuner
et à midi, des haricots blancs le soir
et beaucoup de miel pour le dessert.
«Parce que manger du saumon du matin
au soir, ça finit par être lassant!» déclare
Old Mahony.
Et son nouveau compagnon est
tout à fait de cet avis.

À propos de l'auteur

Wolfram Hänel

est né en 1956 à Fulda, en Allemagne.
Il a étudié la philologie anglo-saxonne
et allemande, a travaillé en tant
que photographe de théâtre, graphiste
et rédacteur en publicité, professeur
assistant et metteur en scène.
Wolfram Hänel écrit des pièces
de théâtre, des livres pour enfants
et des guides de voyage. Il vit
à Hanovre avec sa femme et sa fille,
mais il préférerait vivre au bord
de la mer; sur l'île de Inishturk,
par exemple: 84 habitants, 4 barques
de pêcheurs, pas de voitures, juste
un téléphone mais deux bistrots.
Ah oui... il a aussi des amis
à Cochabamba, en Bolivie!

À propos de l'illustrateur

Jean Pierre Corderoc'h

est né en 1959 à Nantes, il a vécu longtemps
à Lyon et a fait ses études à l'École
des Beaux-Arts de Strasbourg
jusqu'en 1984. C'est là qu'il s'est mis
à aimer les livres pour enfants…
et qu'il a rencontré sa femme. Ils sont
tous deux illustrateurs de livres pour enfants
et il vivent avec leurs deux fils, Kilian
et Briac, dans une très ancienne ferme
en Bretagne.

C'est moi  qui lis